afges

D0305722

Openbare Bibliotheek
Cinétol
Tolstraat160
1074 VM Amsterdam
Tel.: 020 – 662.31.84
Fax: 020 – 672.06.86

Openbare Bibliotheek
Cinétol
Tolstraat160
1074 VM Amsterdam
Tel.: 020 – 662.3
Fax: – 672.06.

De Wakkere Muis
Redactie

GERONIMO STILTON

THEA STILTON

BENJAMIN STILTON

KLEM STILTON

PATTY SPRING

PANDORA WOZ

SPEURNEUS TEUS

Geronimo Stilton is een wereldwijd beschermde merknaam.
Alle namen, karakters en andere items met betrekking tot Geronimo Stilton zijn het copyright, het handelsmerk en de exclusieve licentie van Atlantyca SpA. Alle rechten voorbehouden.
De morele rechten van de auteur zijn gewaarborgd.
Gebaseerd op een idee van Elisabetta Dami.

Tekst: Geronimo Stilton
Oorspronkelijke titel: Lo strano caso del fantasma al Grand Hotel
Omslag: Giuseppe Ferrario
Illustraties binnenwerk: Valeria Turati
Graphics: Michela Battaglin
Vertaling: Loes Randazzo

© 2005 Edizioni Piemme S.p.A, Via Tiziano 32, 20145 Milaan, Italië
www.geronimostilton.com
© Internationale rechten: Atlantyca S.p.A, Via Leopardi 8, 20123 Milaan, Italië www.atlantyca.com - contact: foreignrights@atlantyca.it
© Nederland: Bv De Wakkere Muis, Amsterdam 2011 - NUR 282/283
ISBN 978-90-8592-159-2
© België: Baeckens Books nv, Uitgeverij Bakermat, Mechelen 2011
ISBN 978-90-5461-761-7 D/2011/6186/30

Niets uit deze uitgave mag worden verveelvoudigd en/of openbaar gemaakt, op welke wijze dan ook, elektronisch, mechanisch, inclusief fotokopiëren en klank- of beeldopnames of via informatieopslag, zonder voorafgaande schriftelijke toestemming van de uitgever.

Stilton is de naam van een bekende Engelse kaas. Het is een geregistreerde merknaam van The Stilton Cheese Makers' Association. Wil je meer informatie ga dan naar www.stiltoncheese.com

Geronimo Stilton

HET HOLLENDE HARNAS

EEN GRIEZELIG … SPOOKVERHAAL!

DE WAKKERE MUIS

Lieve knaagdiervrienden, laat ik me eerst even voorstellen: mijn naam is Stilton, *Geronimo Stilton!* Ik ben de uitgever van *De Wakkere Muis,* de meest gelezen krant van Muizeneiland! Ik heb een nieuw **VERHAAL** voor jullie. Een **MYSTERIEUS** verhaal dat gaat over vriendschap, tradities en moed, maar ook over … **SPOKEN!**

Het begon allemaal zo, en niet anders …

HET LAATSTE NIEUWS!

HET LAATSTE NIEUWS!

HET LAATSTE NIEUWS!

HET LAATSTE NIEUWS!

HET LAATSTE NIEUWS!

HET LAATSTE NIEUWS!

Op een mooie ochtend zat ik te **ontbijten** in de keuken. Terwijl ik van mijn lievelingskoekjes knabbelde bij een dampende kop thee, zette ik de televisie aan voor het laatste nieuws ... en sperde mijn ogen wijd open. De journaliste **Lissie Smies** kondigde aan: 'Het laatste nieuws! We bevinden ons in het *Grand Hotel van Rokford!* Iedereen is op de vlucht geslagen omdat er vannacht ... een spook rondwaarde! Ja, jullie hebben het goed gehoord, een **SPOOK**, met een harnas en kettingen!' Ik mompelde: 'Wat, een spook? **Vreemd**, heel **vreemd ...** spoken bestaan toch helemaal niet?' Achter haar zag ik gasten die rattenrap het hotel uit renden en gilden: 'We

Terwijl ik ontbeet ...
... zette ik de tv aan en hoorde ...
... over een spook!

willen ons geld terug! Nu meteen!'
Ik mompelde nog eens: '**Vreemd,** heel **vreemd ...**'
De journaliste interviewde de eigenaar van het Grand Hotel, **Oswald Oostvlegel.**
'Directeur, het schijnt dat dit **SPOOK** al een maand in uw hotel ronddwaalt ...'
Oswald had **TRANEN** in zijn ogen. 'Eh, ik vraag mijn gasten om excuus en geduld. Ik ben een gentlemuis, ze krijgen hun GELD terug ...'
Lissie viel hem in de rede: 'Wat gebeurt er nu met het Grand Hotel, een van de **OUDSTE** hotels van onze stad? Gaat het dicht?'
Ik zette de televisie uit.
Vreemd, heel **vreemd ...**
Het speet me oprecht voor Oswald. Ik ken hem nog van vroeger, toen we in dezelfde klas zaten en graag verstoppertje speelden in het hotel.

Onze schooltijd samen ...

Toen ik klein was, maakte ik vaak huiswerk bij Oswald Oostvlegel thuis, samen met Speurneus Teus.

We speelden dan verstoppertje in de gangen van het hotel.

In de keuken kregen we altijd wel wat lekkers ...

... en we plaagden Richard de receptionist door de sleutels te verstoppen!

WIE? WAT? WAAR? WANNEER? WAAROM?

Toen ik naar buiten liep, wachtte me nog een VERRASSING: in de brievenbus zat een brief aan mij gericht, ja … aan mij: *Geronimo Stilton*.

Nieuwsgierig maakte ik hem open. Dit stond er in:

Geronimo Stilton
Camembertlaan 8
13133 Rokford

Ga onmiddellijk naar het
Grand Hotel van Rokford!
Kamer 313 is voor je gereserveerd … Ga naar je kamer en wacht daar. Praat met niemand over deze brief, met niemand maar dan ook niemand!

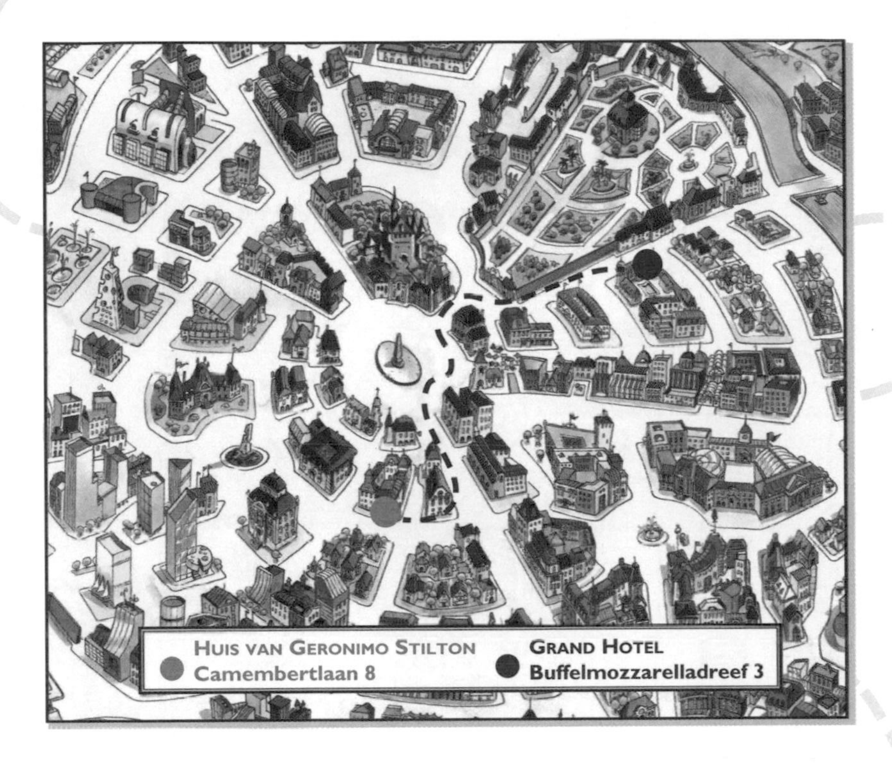

Stomverbaasd stopte ik de brief terug in de envelop.

Wie nodigde me uit in het Grand Hotel?

Wat werd er van me verwacht?

Waar had ik deze uitnodiging aan te danken?

Wanneer was de brief verstuurd?

Maar bovenal ... **waarom?**

GH
Grand Hotel
TAXI
TAXI

Vreemd, heel vreemd ...

Ik riep een taxi en zei tegen de chauffeur: 'Naar het Grand Hotel, Buffelmozzarelladreef 3.'

Toen ik uitstapte, werd ik meteen begroet door een **PORTIER:** 'Welkom bij het *Grand Hotel van Rokford!*'

Voor het hotel was het een drukte van belang: allemaal knagers die maakten dat ze wegkwamen ...

Ik was de enige die naar binnen wilde! Een knagerin op pantoffels rende gillend naar buiten: 'Ik blijf hier geen seconde langer!'

Door de draaideur kwam ik in de **LOBBY**. Daar trof ik de allerlaatste vluchtende knagers met hun koffers, allemaal **OP WEG** naar buiten ...

PORTIER

Bij grote hotels staat er altijd een portier in uniform voor de deur. Hij verwelkomt de gasten die arriveren en zorgt voor een taxi als gasten die nodig hebben.

LOBBY

Engels woord (spreek uit *lobbie*), dat "hal" of "ontvangstruimte" betekent. In hotels is dit vaak een grote en elegante ruimte waar zich de receptie, bar, lounge en liften bevinden.

1
3
2
7

6
5
4
1 - Draaideur
2 - Bagage
3 - Receptie
4 - Kassa
5 - Reserveringen
6 - Liften
7 - Bar

KAMER ... 313!

Ik liep naar de *RECEPTIE*, waar ***Richard***, de receptionist, al klaarstond. Het viel me op dat hij rode ogen had, alsof hij langdurig had gehuild. Er stond een boze gast tegen hem te **schreeuwen**: 'We willen ons geld terug, begrepen? We blijven geen nacht langer meer in dit hotel!'

RECEPTIE

Het woord "receptie" komt van het Engelse "reception" (spreek uit *riesepsjun*), en betekent "ontvangst". Het is de benaming voor de balie in de lobby waar gasten zich melden bij binnenkomst. Na registratie krijgen ze dan de sleutel van hun kamer. Bij vertrek wordt hier de rekening betaald en de sleutel weer ingeleverd.

De receptionist zuchtte: 'Natuurlijk meneer, u heeft gelijk meneer, het spijt me meneer … we hebben nooit eerder last van SPOKEN gehad in het Grand Hotel!'
Ik liep naar hem toe: 'Hallo Richard, hoe gaat het? Ik wil graag een kamer. Doe maar kamer 313, als het kan!'
Richard herkende me meteen: 'Meneer Stilton! Wat fijn u te zien!'
Tevreden lachend vroeg hij: 'Een kamer? U wilt een kamer? Maar dat is muizenissig! Natuurlijk, SUITE 313 is geen probleem. Het hotel is toch helemaal leeg … ik loop even met u mee!'
Toen ik kamer 313 binnenliep, voelde het alsof ik terugging in de tijd. Ook al waren er inmid-

SUITE

Een Frans woord (spreek uit swiete) waarmee een ruimte van meerdere kamers wordt bedoeld, oftewel een appartement. Vaak bestaat een suite uit een soort zitkamer met aangrenzend een slaapkamer en een badkamer!

dels vele jaren verstreken, ik herinnerde me de KAASGELE stoffering met de vergulde kaasjesversiering nog als de dag van gisteren. En daar stond nog steeds het grote antieke bed met baldakijn! Ook de badkamer was nog precies als vroeger: ruim en fraai, met koperen kranen! Nieuw was het douchegordijn … met een bananenprint. Opeens hoorde ik een brommerige stem zingen: *'Dans …'*
Ik keek om me heen maar zag niemand.

Vreemd!

Ik waste mijn poten. Opnieuw klonk er gebrom: *'Dans toch …'*

Heel vreemd!!

Ik droogde mijn poten af.
En weer: *'Dans toch de hele nacht …'*

Gi-ga-vreemd!!!

Opeens werd het douchegordijn om me heen

gewikkeld en werd ik meegevoerd als in een dans met een achtarmige inktvis, die nu luidkeels zong: *'Dans toch de hele nacht met mij …*
Kom, laat ons dansen, lekker vrij!
Waarom dans je niet? Zie je niet hoe ik geniet?
Geen probleem, ik dans door tot ik niet meer kan!
Dans met me mee, je kunt er vast ook wat van!'
Ik brulde: 'HELP!'
Achter het gordijn kwam een staart tevoorschijn, toen een poot en vervolgens het puntje van een knagerssnuit. **'Kiekeboe!*'**
Ik sprong naar achteren: 'W-wie ben jij?'
Stukje bij beetje kwam er een knager tevoorschijn met een grijze vacht en een snor die glom van de BRILLANTINE. Hij gaf me een vette knipoog: *'Stiltonnetje,* hoe vond je mijn grapje?'
Toen herkende ik hem pas. Het was SPEURNEUS TEUS!

***Kiekeboe:** *verrassing!*

Kiekeboe!
Wie ben jij?

VREEMDE ZAKEN IN HET GRAND HOTEL!

Speurneus legde me uit: 'Er is iets **vreemds** aan de poot, iets heel vreemds, in het *Grand Hotel, Stiltonnetje!* Zet je ontvangers wijd open*: jij weet net zo goed als ik, dat **SPOKEN** niet bestaan … dus vraag ik je: wie verjaagt er dan sinds een maand alle gasten uit het hotel?'
Hij begon te fluisteren: 'Je moet me helpen!'
Ik zuchtte: 'Speurneus, je weet dat ik een drukbezette man, *eh muis,* ben. Ik moet een nieuw **BOEK** schrijven en …'
Hij drong aan: *'Stiltonnetje,* alsjeblieft, als je het niet voor mij doet, doe het dan voor onze stad! Het *Grand Hotel* is een begrip in Rokford …

***Zet je ontvangers wijd open** = *Luister goed!*

het staat in hoog aanzien! Denk eens aan al die knagers die hier werken. Je wilt toch niet dat die hun baan verliezen? En bovendien moeten we onze vriend Oswald helpen!'

Hij begon te **STRALEN:** 'Ik heb een **geniaal idee!** We gaan nu naar hem toe! Als hij je niet kan overtuigen ...'

Voor ik ook maar "piep" kon zeggen, werd ik meegesleurd naar het kantoor van Oswald Oostvlegel.

EEN GROTE MAAR VREEMDE LIEFDE!

We troffen Oswald Oostvlegel in tranen aan. Hij snikte: 'Hoteldebotel, wat moet ik doen? Nu moet ik wel verkopen! Dit hotel is al generatieslang van mijn familie. **O, WAT EEN TRAGEDIE!**'
Speurneus troostte hem: 'Kop op, *Oostvlegeltje,*

waar is je zakdoek ... Stiltonnetje en ik zullen je helpen, kalmeer een beetje!'

Hij keek opgelucht: 'O, echt? Gaan jullie me helpen?'

Ik ZUCHTTE. Ik ben een drukbezette man, *eh muis* ... maar ik zal nooit een vriend in nood laten BARSTEN!

Ik pakte mijn notitieboekje. 'Vertel ons alles, begin bij het begin ...'

Oswald WEES naar een schilderij achter zijn bureau, waarop een knager met gekrulde snor en een elegante, glimlachende knagerin stonden.

'Weet je nog, Geronimo? Dat zijn mijn overgrootknagers: Ricardo en Arabella

RICARDO EN ARABELLA OOSTVLEGEL

Oostvlegel. Zij bouwden heel lang geleden het Grand Hotel van Rokford. Hun leven was één groot *liefdesverhaal*. Opa was metselaar en oma kokkin.

RICARDO AAN HET WERK

Ze waren arm maar erg enthousiast … Ricardo besloot eigenpotig voor zijn geliefde Arabella **STEEN VOOR STEEN** een pension op te bouwen.

Maar er kwamen steeds meer gasten om de overheerlijke gerechten van Arabella te proeven. Mijn over-grootknagers hielden ervan om hun gasten in de watten te leggen: lekker eten, een goed bed en

ARABELLA IN DE KEUKEN

vooral … altijd een GLIMLACH! Door de jaren heen werd het pension steeds groter en beroemder. Iedereen op Muizeneiland kent het! Maar dat **SPOOK** bederft alles! Ik ga **FAILLIET** of moet het aan die knager verkopen …'

Ik zette mijn ontvangers wijd open: 'Wacht even, iemand heeft je al een aanbod gedaan? **WIE?**'

'Een geheimzinnige zakenknager, **Bissie**

HET GRAND HOTEL TEN TIJDE VAN MIJN OVERGROOTKNAGERS

Nes. Sinds *een maand* dringt hij bij ons aan dat we het hotel moeten verkopen, tegen een muizenissig LAGE prijs. En ik heb niet langer de keus: sinds *een maand* doolt dit **SPOOK** door mijn hotel ... en sinds *een maand* vluchten alle gasten weg! Maar dat is nog niet het ergste. Weten jullie wat die pieper met mijn hotel van plan is? Hij wil er een ... fabriek voor **wc-potten** van maken!'

Speurneus stond perplex: 'Wat? Een fabriek voor wc-potten? Dat nooit! Mee eens?'
Ik gaf geen antwoord. Er ging van alles door mijn kop: sinds *een maand* probeerde een zakenknager Oswald het hotel te laten verkopen ... sinds *een maand* doolde er een **SPOOK** door het hotel ... sinds *een maand* vluchtten de gasten massaal weg!

1001 GEHEIMEN VAN HET GRAND HOTEL

Ik vroeg aan Oswald: 'Kun je ons laten zien *hoe* en *waar* het spook doolde?'
Hij pakte een bos SLEUTELS. 'Ik zal jullie het hele hotel laten zien!'
Hij begon te vertellen: 'Het spook werd een maand geleden voor het eerst gezien. De eerste gasten die erover klaagden waren **Graaf en Gravin van Maizen.** Zij komen hier vaak en kwamen net terug van een receptie bij Gravin Snobbia van Snobbis tot

Snobbiakkus, toen ze snuit aan snuit stonden met het SPOOK!'

Speurneus riep: 'Kromme bananen! Het spook heeft echt voor niemand respect!'

Oswald glimlachte en ging verder: 'Toen maakte hij de familie Woelmuis bang. Arme Woelmuizen, Richard zag ze met angstige snuitjes langs de receptie rennen … Een paar dagen later hebben een paar oudjes hem gezien in de lift en …'

Familie Woelmuis

Terwijl Oswald ons het hele verhaal vertelde, liepen we door het *Grand Hotel*, van de kelder tot aan de zolder. Wat een **GI-GA-GROOT** gebouw!

GH
Grand H

WIE HEEFT HET SPOOK GEZIEN?

Oswald zei: 'Ik zal jullie voorstellen aan alle knagers en knagerinnen die in het *Grand Hotel* werken. Dat wil zeggen, die paar die zijn gebleven ... de anderen waren **bang** en zijn weggegaan!'

Richard, de receptionist

Bij de receptie zagen we ***Richard, de receptionist.*** Hij snotterde: 'Het is zo erg om een historisch hotel als dit te moeten verkopen, meneer Geronimo. Het Grand Hotel is het **hart** van

onze stad … Weet u nog, meneer Geronimo? Weet u nog?'

Ik verzekerde hem: 'Ik doe mijn best, en nog meer, om Oswald te helpen. Maar vertel eens, heb jij het SPOOK gezien?'

Hij schudde zijn kop. 'Nee, hier is hij nooit langsgekomen. Maar veel gasten hadden het over hem: hij gaf licht in het donker!'

Ik noteerde en onderstreepte:

Geeft licht in het donker.

We gingen op zoek naar het kamermeisje, POLLY PROPER. Waar was ze toch?

Er klonk gesnik uit de bezemkast. Daar zat ze dus! Ik gaf haar een pootkusje (ja, ik ben een echte

gentlemuis; ik geef nog steeds pootkusjes aan knagerinnen).
'Hallo **POLLY.** Waarom huil je?'
Ze **snotterde:** 'Ik wil mijn baan niet kwijtraken ...'
Speurneus begon haar te ondervragen. 'Maak je maar geen zorgen. Polly, wij gaan de zaak oplossen! Vertel eens, waar heb je het **SPOOK** gezien? Wanneer? En wat deed hij?'
Ze **snikte:** 'Ik zag hem van de trap afkomen ... snik ... hij joeg alle gasten op de vlucht!'
Opeens gilde ze: 'Kijk, alweer een **SPINNENWEB!** Sinds hij er is, vind ik overal spinnenwebben, ook al stof ik elke dag. Ik doe mijn werk heus goed, zeg dat maar tegen **Oswald!** Het is echt niet mijn schuld dat alle gasten ervandoor gaan!'
'Wees gerust, wij gaan dit hotel ***redden,***

beste Polly!' kalmeerde Speurneus haar.

Ik schreef op: *Spinnenwebben*.

Vervolgens gingen we op zoek naar de kok van het hotel, Olaf Oliebol.

We vonden hem in de keuken, waar hij op een stoel voor het fornuis zat. 'Wat een **ELLENDE!** Wie had ooit gedacht dat het *Grand Hotel* zou sluiten na zoveel jaren!'

Olaf, de kok

Ik vroeg: 'Heb je ooit het **SPOOK** gezien?'
'Ja, steeds nadat hij door een gast was gezien, kwam hij daarna even naar de keuken. Hij was lang en dik, hij droeg een harnas en kettingen ...'
'Is je ook iets **vreemds** opgevallen?'

De kok streek peinzend zijn snorharen glad. 'Eh ja, meer dan één ding. Sinds *een maand* klagen de gasten dat ze witte haren in hun soep zien drijven ... en niemand hier heeft een **witte vacht!**
En overal vind ik bonbonpapiertjes op de grond, en niemand van ons snoept bonbons!'
Ik schreef op: *Lang, dik, harnas, kettingen, witte vacht, bonbonpapiertjes.*
We namen afscheid van Olaf en gingen naar de kelder, op zoek naar de elektricien, **NIEK SCHAKEL.**

Hij was net een lamp aan het verwisselen toen

we hem vonden.
We stelden ons aan hem voor. Hij was maar wat BLIJ dat iemand het raadsel probeerde op te lossen!
Ik vroeg hem: 'Is je ook iets vreemds opgevallen sinds het SPOOK hier doolt?'
Hij knikte. 'Ja, er is iets dat ik niet begrijp. Sinds het spook hier is, hoor ik VIOOL-MUZIEK ... en toch hebben we geen geluidsinstallatie!'
Ik schreef op: *Vioolmuziek.*
Speurneus gaf hem een knipoog: 'Ja, ons spook houdt van grapjes ...

maar wij lachen het laatst*!'
Nu moesten we op zoek naar **TON TRUNK, DE KRUIER.** Er waren geen
gasten meer en niemand wist waar hij was gebleven.
We besloten naar Richard terug te gaan, en daar vonden we ook Ton.
Hij ging rechtop staan: 'Koffers dragen?'
Ik GLIMLACHTE: 'Nee dank je, ik wil je wat vragen stellen. Heb je het **SPOOK** gezien?'
Zijn houding verslapte, zijn snuit betrok, en hij speelde verder met een stukje plastic. 'Ik kan niet zeggen dat ik hem echt gezien heb …
Op een avond heb ik deze **FLUORESCERENDE** plastic ring gevonden. Toen ik hem opraapte zag ik een **LICHTGEVENDE** schaduw weglopen …'
Ik schreef op in mijn notitieboekje:

***Wie het laatst lacht, lacht het best** = *de echte winnaar is degene die aan het eind het beste uit de strijd komt.*

TON, DE KRUIER

Fluorescerende ring van plastic, lichtgevende schaduw.

Als laatste bezochten we het kantoor van de manager van het Grand Hotel, **juffrouw Bollie!**

Het was een fraaie ruimte, waar het naar een duur parfum rook dat ik maar al te goed kende. Hetzelfde *parfum* gebruikte Ratja Ratmuis, de uitgeefster van *De Rioolrat* … oftewel mijn grootste concurrentknager, eh knagerin!

Het kantoor was afgeladen vol met allerlei

verfijnde spulletjes: geborduurde zijden kussens, antieke beeldjes en schilderijen van vermaarde schilders.

Bollie, de manager

Bollie stond voor haar bureau. Ze was lang en een beetje GEZET, en ze droeg een elegant zwart mantelpakje. En wat een juwelen!

Bollie keek ons aan en zuchtte: 'O, het spijt me zo dat het *Grand Hotel* moet sluiten.'

Maar volgens mij hoorde ik haar daarna fluisteren: 'Maar aan alles komt een einde. Niets duurt eeuwig.'

'Als het Grand Hotel sluit, wat ga je dan doen,

juffrouw Bollie?' vroeg ik.

Ze **GRINNIKTE:** 'Ach, een goede manager blijft nooit lang zonder werk. Ik heb al een baan aangeboden gekregen als directrice *van een fabriek van wc* ... eh, ik bedoel maar te zeggen dat ik zeker een baan vind. Met mijn ervaring, **GEEN PROBLEEM!**

Maar neem me niet kwalijk, ik moet weer aan het werk, het is een chaos de laatste tijd!'

We verlieten haar kantoor en gingen op zoek naar **Oswald,** om hem te vertellen wat we te weten waren gekomen van zijn werknemers.

We liepen hem in de lift tegen het lijf. Samen gingen we naar kamer 313.

Speurneus stak de sleutel in de **DEUR** en zei: 'Tja, best interessant wat al die knagers ons te vertellen hadden ... maar nu moeten we er nog soep van brouwen*!'

***soep van brouwen** = *feiten vaststellen*

312
313

EEN IDEE ...
EEN GENIAAL IDEE!

Opeens gilde Speurneus: 'Ik heb een idee! Een **geniaal idee!** We blijven vannacht hier slapen! Wij alleen! Dan kunnen we dat ondermaatse spook in de kraag vatten*! Wat vind jij *Stiltonnetje?'*

Ik vond het maar een slecht idee. 'Eh, hier **slapen,** vannacht? Wij, alleen? Om het

*In de kraag vatten: *oppakken*

spook te pakken? En als het spook *ons* nu eens pakt?'
Oswald stelde voor: 'Misschien is het veiliger als ik ook blijf.'
Speurneus antwoordde stoer: 'Nee hoor, wij zijn niet BANG! Toch *Stiltonnetje,* wij niet, hè?'
Ik stotterde: 'N-nee, w-wij z-zijn n-niet b-bang, maar als Oswald zo graag wil ...'
Maar Speurneus duwde hem al naar buiten.
'Laat ons nu maar ons werk doen! Voor je gaat, wil ik graag:
-1 ton bananen!
-1 superfondue van bananen
-3 bananentaarten
-5 kilo bananenijs
-8 kilo suikerbananen
-10 potten bananenjam
-20 bananenpizza's

... BANANEN
... SUPERFONDUE VAN BANANEN
... BANANEN-TAARTEN
... BANANENIJS
... SUIKER-BANANEN
... BANANENJAM
... BANANEN-PIZZA
... BANANEN-SHAKE
... BANANEN-GEBAKJES
... BANANEN-CHOCOLAATJES

-30 liter bananenshake
-315 bananengebakjes
-999 bananenchocolaatjes
Mjam, ik krijg altijd trek van spannende avonturen! Mijn brein werkt beter als mijn maag vol is ... eh, weet je wat, doe maar twee ton bananen, of drie, je weet maar nooit! De nacht is lang, en *Stiltonnetje* en ik zullen moeten wachten tot het spook "BOOOEEE"-roepend de trap afkomt ...'
Ik RILDE. 'Denk je dat het spook "BOE" zal roepen?'
Hij grinnikte. 'Ik weet niet of hij "BOE" roept, maar je had eens moeten zien hoe BLEEK je werd, *Stiltonnetje* ...'
Ik gilde: 'Hoezo bleek, ik zit toch al zo in de rattenrats! Ik kan het niet! Ik ga ervandoor!'

Oswald smeekte: 'Alsjeblieft, Geronimo, blijf! Als we dit mysterie niet oplossen, kan ik het wel schudden!'

Op dat moment kwamen de kelners eraan met de complete bestelling van Speurneus.

Hij joeg iedereen de kamer uit: 'Ksst, naar buiten, laat me werken!'

Aan de deur hing hij een kaartje:

GENIE AAN HET WERK, NIET STOREN!

EEN NACHT ALS IN EEN NACHTMERRIE …

Toen ook Oswald weg was, stak Speurneus twee kaarsen aan. Hij deed het licht uit en fluisterde: 'En nu is het wachten …'

'Wachten waarop?' fluisterde ik.

Hij fluisterde: 'Wachten tot het spook zich laat zien!'

'Misschien komt hij wel niet …' fluisterde ik hoopvol.

Hij fluisterde: 'Nee, ik weet zeker dat hij komt.'

'Waarom heb je kaarsen aangestoken?' fluisterde ik.

Hij fluisterde: 'Kaarslicht maakt het allemaal nog wat mysterieuzer, daar hou je toch zo van, *Stiltonnetje?'*

'Nee, daar hou ik helemaal niet van! Ik ben een bange man, *eh muis!* Maar waarom fluisteren we eigenlijk?' fluisterde ik.

Hij fluisterde op duistere toon: 'Ooomdaaat daaar waaar spoookeeen zijijijn jeee noooit haaardooop praaat …'

Ik gilde: 'Ik hou het niet meer uit!'

Hij grinnikte. 'Wat ben je toch een angstmuis, *Stiltonnetje!'*

Op dat moment zwaaide de deur open.

Ik slaakte een kreet van angst: 'Aaaaaargh!

HET SPOOOOOOOOOOOOOOOOOK!'

Maar het was Oswald. 'Sorry vrienden, ik wilde jullie niet **BANG** maken! Ik kom alleen maar even vertellen dat de telefoon het opeens niet meer doet.'

Ik stotterde: 'Eh, ik … dus … eigenlijk … **OEFENDE** ik even voor als het spook kwam en …'

Speurneus lachte. 'Hihihi! Hij oefende even. Je was bang, *Stiltonnetje!*'

Oswald ging weer. 'Goedenacht, vrienden!'

Ik zuchtte. 'Hoezo goedenacht, dit wordt een nacht als in een nachtmerrie! Daar durf ik een **stuk kaas** om te verwedden!'

IK BEN EEN SPOOK ...

Speurneus dook in bed en leunde ACHTEROVER tegen de zachte kussens.
Met zijn staart opende hij de minibar en haalde er een BANANENDRANKJE uit, terwijl hij in zijn ene poot een chocolaatje geklemd hield en met zijn andere langs de kanalen van de TELEVISIE zapte!

'Stiltonnetje, bekijk het toch eens van de zonnige kant! Wij logeren (gratis!) in het mooiste hotel van Rokford … tussen *zijden* lakens en *veren* kussens … met een goed gevulde minibar … alle tv-kanalen die je je maar kunt bedenken … en mijn favoriete VIDEOGAME! Dat is toch *pre-eminent*!?'*

Ik rilde. 'De service is alleen inclusief een spook …'

Hij pochte: 'Pff, een **SPOOKJE** … denk je dat ik, **DETECTIVE SPEURNEUS,** daar wakker van lig?'

Ik knielde even om een fles water uit de minibar te pakken, en hoorde toen plotseling iemand in mijn oor **FLUISTEREN:** 'Ik ben een spoooooook …'

*pre-eminent = *puik, prachtig*

Ik **sprong** op. ‘Wie was dat? H-help!’

Het was Speurneus! ‘Wat ben je toch een angstmuis, Stiltonnetje! Je schrikt bij elk grapje!’

'**Ik hou het niet meer uit!**' brulde ik.

Ik ging naar de badkamer, maar zodra ik binnen was, ging het licht uit en begon er iemand te brullen: ‘**Boeoeoe, ik ben een spook ...**’

In mijn rattenangst gilde ik het uit: ‘W-wie is daar? H-help!’

H-HELP!

Het was Speurneus weer! Hij **lachte** zich krom ...

‘Hahaha, jammer dat je jezelf niet kunt zien, Stiltonnetje! **Bleeksnuit!** Je snorharen **trillen** van angst!’

Ik deed het licht aan en liep het balkon op om een frisse snuit te halen. Maar het gordijn bewoog en iemand riep: "**BOEOEOE, DACHT**

JE TE ONTSNAPPEN?'

Ik piepte angstig: 'H-help!'
Jullie raden het al … het was Speurneus.
Hij lachte. 'Zie je niet eens het verschil tussen een gordijn en een spook, *Stiltonnetje?* Oef, met jou kun je niet eens een grapje uithalen!'

Op dat moment ging het licht weer uit.

Ik **BRULDE:** 'Hou op met die flauwe grapjes, Speurneus. Doe het licht aan!'
Hij stotterde: 'M-maar ik heb het licht niet uit-gedaan!'
'Speurneus, hou op!'
'N-nee, echt waar, ik heb het licht niet uitgedaan!'
Mijn bloed **BEVROOR** in mijn aderen.
'Als jij het niet uitdeed … *wie* dan wel?'

WIE ... DEED
HET LICHT UIT?

WIE ... DEED
HET LICHT UIT?

WIE ... DEED
HET LICHT UIT?

WIE ... DEED
HET LICHT UIT?

WIE ... DEED
HET LICHT UIT?

WIE ... DEED
HET LICHT UIT?

WIE ... DEED
HET LICHT UIT?

WIE ... DEED
HET LICHT UIT?

WIE ... DEED
HET LICHT UIT?

WIE ... DEED
HET LICHT UIT?

WIE ... DEED
HET LICHT UIT?

WIE ... DEED
HET LICHT UIT?

WIE ... DEED
HET LICHT UIT?

WIE ... DEED
HET LICHT UIT?

WIE ... DEED
HET LICHT UIT?

WIE ... DEED
HET LICHT UIT?

WIE ... DEED
HET LICHT UIT?

WIE ... DEED
HET LICHT UIT?

IKKE ...
HET SPOOK!

IKKE ...
HET SPOOK!

IKKE ...
HET SPOOK!

IKKE ...
HET SPOOK!

IKKE ...
HET SPOOK!

IKKE ...
HET SPOOK!

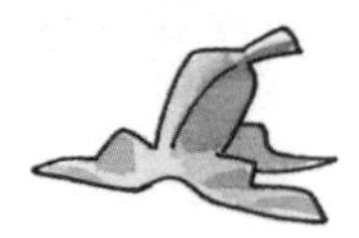

WAS DAT EEN SPOOK, DENK JE?

Iemand draaide de sleutel in het slot om en de deur ging krakend open.

We hoorden een ijzingwekkende stem brullen: 'Boeoeoe, dat deed ik … het **SPOOOOOOOK!**'

Speurneus en ik brulden in koor:

'HEEEEEEEEEEEEEEEEEEEEEEEEEEEEEEEEEEEELP!'

'HEEEEEEEEEEEEEEEEEEEEEEEEEEEEEEEEEEEEELP!'

In het donker lichtte een spookachtig figuur op, gekleed in een *harnas* en bedekt met **SPINNENWEBBEN.**

Onder de helm stak een wilde bos golvend WIT HAAR uit.

Het spook sleepte lange **KETTINGEN** achter zich aan … die vreemd genoeg geen enkel lawaai maakten!
We hoorden VIOOLMUZIEK in de verte … om de rillingen van te krijgen!
Het spook zwaaide met een ketting door de lucht en brulde: 'MAAAK DAAAT JUUULLIE WEEEGKOOOMEEEN! DIIIT HOOOTEEEL ISSS VAAAN MIJIJIJ!'
Daarna vertrok hij weer, met een lugubere lach die *langzaam wegstierf.*
Ik deed rattenrap het licht weer aan en haalde opgelucht adem.
'Speurneus! Speeeuuurneeeuuus!' riep ik.
Een stemmetje van onder de tafel fluisterde: 'Eh *Stiltonnetje,* hier ben ik!'
ROOMKAASBLEEK kwam hij tevoorschijn

gekropen, met POOTJES die trilden als rietjes.
'Ik moet even een banaantje eten om weer op krachten te komen. Wat denk jij, *Stiltonnetje,* was dat het SPOOK?'
Ik mompelde: 'Ik dacht dat mijn snorharen uitvielen, zo **BANG** was ik ...'
Speurneus stamelde: 'Ach ja, eigenlijk ... was het best wel eng ... zelfs ik was een beetje bang. Sorry, voor alle flauwe grapjes die ik met je uithaalde!'
Ik gaf hem een klap op zijn schouder: 'Geen probleem! Iedereen is bang, je moet gewoon proberen je angst te **overwinnen!'**
Ik vertelde hem wat tante Lilly en opa Wervelwind altijd tegen mij zeiden ...

GA OP AVONTUUR ...

WEES NIET BANG IN HET DONKER!

Donker is net zo normaal als licht. Geen licht, zonder donker! Stel je voor: als er geen donker bestond, konden we ook geen vuurwerk afsteken, of sterren zien! En wat is er mooier dan kaarsjes op een verjaardagstaart ... in het donker!?!

WEES NIET BANG!

WEES NIET BANG VOOR PESTKOPPEN!

Als iemand je pest, probeer dan kalm te blijven. Praat rustig en laat zien dat je niet onzeker bent. Misschien is je pestkop wel net zo onzeker, diep in zijn hartje ...

WEES NIET BANG VOOR SPOKEN!

Spoken bestaan niet. Als je iets vreemds ziet, blijf dan kalm, haal diep adem en kijk goed: het is vast een trucje ... ook al zie je dat niet meteen!

WEES NIET BANG OM TE ZIJN ZOALS JE BENT!

Schaam je nooit voor je gevoelens! Als je ergens bang voor bent, praat dan met iemand, zoals je vader of je moeder, of met je vrienden. Samen kun je elk probleem oplossen!

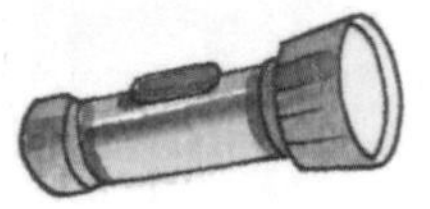

GA OP AVONTUUR … WEES NIET BANG!

Speurneus herhaalde de woorden van tante Lilly en opa Wervelwind: **'Ga op avontuur … wees niet bang!** Wow, je tante en je opa zijn slim!'
Hij gooide de **bananenschil** over zijn schouder weg en brulde: 'Ga op avontuur … wees niet bang! Ik ben niet bang voor spoken

(als ze toch niet bestaan) en ik ben ook niet bang in het DONKER! Ik ben toch niet alleen ... ik heb een vriend bij me. En samen lossen we alles op!'

Hij rende naar de deur en griste onderweg een zaklantaarn mee. 'Volg me, *Stiltonnetje.* We gaan die grappenmaker eens even ontmaskeren, ik wil weleens zien wie zich in dat *harnas* verstopt! Als ik met hem klaar ben, dan is de lust om mensen de stuipen op het lijf te jagen hem zeker vergaan!'

We verlieten de kamer en RENDEN de donkere gang door.

HIER IS IEMAND LANGSGEKOMEN ...

In de verte hoorden we een deur dichtslaan.
Vreemd ... er was helemaal geen deur aan het einde van de gang!
We onderzochten de muren op een mogelijke **GEHEIME DOORGANG ...** maar we konden niks vinden!
Ik mompelde rillend: 'W-waar kan het spook heen zijn? Hij is verdwenen ... alsof hij dwars door de muur is gelopen!'
Om mezelf moed in te praten, piepte ik: '**SPOKEN** bestaan niet ... **SPOKEN** bestaan niet ... **SPOKEN** bestaan niet!'
Ondertussen bleef ik zoeken naar sporen.

Opeens riep Speurneus: ‘Zeg *Stiltonnetje,* ik heb iets gevonden!’
Hij wees op een **ROOSTER** voor de air-conditioning. Het hing een beetje scheef en … er miste een **SCHROEF,** alsof iemand het haastig terug op zijn plaats had gehangen!
Speurneus bromde: ‘Hier is net iemand geweest … en het was zeker geen **SPOOK** … o nee!’
We haalden het rooster weg. In de tunnel erachter stonden pootafdrukken … **lichtgevende** pootafdrukken!

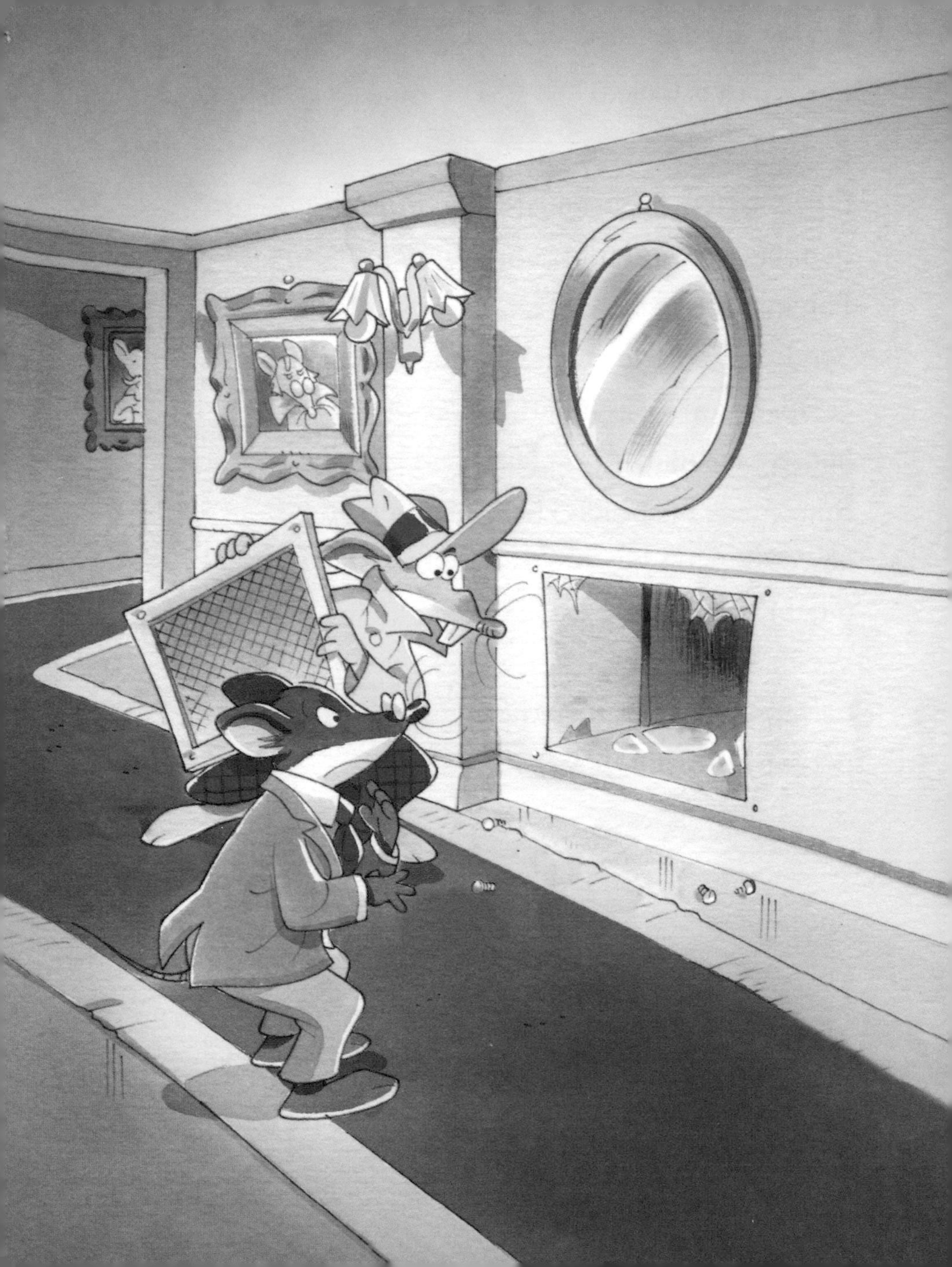

Vreemd! Normaal staan er geen pootafdrukken in airconditioningtunnels … en al helemaal geen lichtgevende pootafdrukken! Toen herinnerde ik me wat Richard had gezegd: veel gasten hadden een LICHTGEVEND spook gezien …
Speurneus stelde voor: 'We gaan achter de POOTAFDRUKKEN aan!'
We kropen in de tunnel, die zo klein was dat we moesten bukken.
Speurneus botste tegen me aan en ik stootte mijn kop. 'Voorzichtig toch, *Stiltonnetje*, ik zou niet willen dat je een hersenschudding opliep!'
Ik brulde: 'Die heb ik net opgelopen … Ik hou het niet meer uit!'
Hij kneep in mijn staart. 'Wat zijn we weer opgewonden. Kalmeer toch eens wat!'
Op dat moment drong er iets tot me door: de

tunnel zat vol SPINNENWEBBEN!

Vreemd! In een airconditioningtunnel verwacht je toch geen spinnenwebben!
Toen herinnerde ik me wat POLLY PROPER had verteld: sinds het spook voor het eerst was verschenen, kwam ze overal spinnenwebben tegen ...
Aan het eind van de airconditioningtunnel kwamen we in de keuken uit!
Op de grond lagen BONBONPAPIERTJES.

Vreemd! Spoken eten geen chocolade, dat vinden ze helemaal niet lekker!
Toen herinnerde ik me wat Olaf Oliebol had verteld: hij vond in de keuken allemaal bonbonpapiertjes …
We volgden de sporen naar de deur.
We deden de deur open … er zat een trap achter. We volgden de sporen de trap op, tot we weer voor een deurtje stonden. Dat **DEURTJE** kwam me bekend voor!
Natuurlijk … het was het deurtje naar de zolder!

Speurneus en ik keken elkaar even aan, voor we de deur openzwaaiden.
De zolder was DONKER en het rook er MUF.
Overal stonden oude en vergeten spullen. Er was een oud bed met een baldakijn waaraan door de motten weggevreten gordijnen hingen, en eromheen allerlei dingen die echt niemand meer wilde: schilderijen met kapotte lijsten, lampen die uit de mode waren, oude kussens waar de vulling uitpuilde …
Ik keek eens om me heen: er was niemand!
Ik stak een poot uit om onder het bed te kijken of daar iemand lag.
Ik voelde iets HARIGS … iets krullerigs …
Ik krijste het uit: 'AAAAAAAARGHH! EEN KAT!!!'
Ik viel bijna flauw van angst, maar Speurneus grinnikte: 'Dat is helemaal geen kat, Stilton.

Dat is een witte pruik!'

Vreemd! Niemand in het hotel had ooit pruiken gedragen!
Toen herinnerde ik me wat Olaf Oliebol verteld had over haren in de soep, witte haren ...
Ik vatte weer moed en ging samen met Speurneus verder op ONDERZOEK uit.
In een oude kast vond ik een *harnas!*

Vreemd! Wat moesten ze in een hotel met een harnas?
Toen herinnerde ik me dat het **SPOOK** een harnas droeg!
Opeens vielen er van boven op de kast een stel **KETTINGEN** op mijn kop!

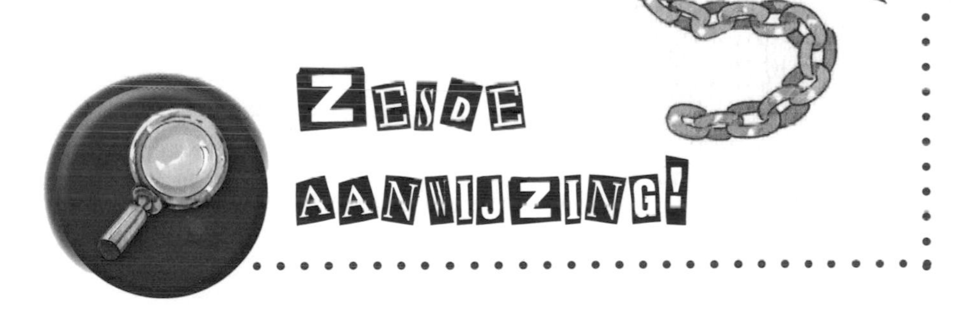

Vreemd! Het deed helemaal geen pijn … ze bleken van plastic te zijn!
Toen herinnerde ik me dat **TON TRUNK** een plastic ring had gevonden …
Op de zolder vonden we bovendien nog een open rooster. Speurneus klom erin en vond er een draagbare radio.
Ik drukte op de knop en de ruimte vulde zich met VIOOLMUZIEK.

Vreemd! In het Grand Hotel werd nooit muziek gedraaid!
Toen herinnerde ik me wat **NIEK SCHAKEL** verteld had: hij hoorde vioolmuziek …
Speurneus telde op: 'Spinnenwebben … bonbonpapiertjes … witte pruik … harnas … kettingen … muziek … we hebben alles! Behalve de **FLUORESCERENDE** verf …'
Ik riep: 'Gevonden!'
Ik was met mijn poot in een pot met verf gestapt, die in het donker licht gaf.
Speurneus stelde vast: 'Er is hier dus helemaal geen sprake van een **SPOOK**. Een of andere grap-rat wilde leuk zijn en heeft zich gewoon als spook **verkleed!**'
Ik opperde: 'Ik weet wel iemand die ons kan helpen …'

EEN HELPENDE POOT ...

We gingen naar "De Fophoek", in de Snuitstraat 11, een winkel in fopartikelen. De eigenaar, **Philip Fopman,** is een vriend van mijn neef Klem.

Philip begroette me: 'Hallo Geronimo! Hoe gaat het?'

'Goed, dank je. Ik wil graag ...'

Maar voor ik verder kon spreken, voelde ik een paar **harige** poten in mijn nek ...

Ik brulde: *'Help! Een spin!'*

Toen zag ik dat het een fopspin van plastic was en mompelde: 'Grappig! Heel **grappig!** Maar nu even serieus ...'

Help!

Ik zag iets langs mijn poten kronkelen ...

Ik brulde: 'Heeelp! Een SLANG!'

Maar ik begreep al snel dat het gewoon een fopslang was!

Terwijl Philip en Speurneus over de grond rolden van het lachen, probeerde ik mijn vraag te stellen: 'Ik wil vragen ...'

Voor me op de plank stond een schedel waarin een lichtje brandde en waarvan de tanden klapperden: 'Hé jij daar, mismuis!'

Ik brulde: 'HELP! Een pratende schedel!'

Maar ook dit was gewoon een fopschedel met een lampje en een microfoontje erin.

Wanhopig gilde ik: 'Ik hou het niet meer uit! Er is werk aan de winkel, zo lossen we het mysterie van het spookachtige hollende harnas in het *Grand Hotel* nooit op!'

Philip werd op slag serieus: 'Een hollend harnas in het *Grand Hotel?* Maar dat hotel is een begrip in onze stad. Ik ken de eigenaar, **Oswald Oostvlegel,** persoonlijk. Wat kan ik doen om jullie te helpen?'

Speurneus vroeg: 'We hebben een ***helpende poot*** nodig! Is hier onlangs iemand geweest die de volgende spullen heeft gekocht:

1. **Een blik fluorescerende verf?**
2. **Nepspinnenwebben?**
3. **Bonbons?**
4. **Een witte pruik?**
5. **Een nepharnas?**
6. **Plastic kettingen?**
7. **Een cd met vioolmuziek?**

Philip snuffelde wat in zijn kasboeken, en antwoordde toen: 'Ja, er is een knager geweest die dat allemaal heeft gekocht ... alles behalve de bonbons. Ik heb een fopwinkel, geen banketbakkerij!'

Speurneus vroeg: 'Was het een heel erg lange en ontzettend DIKKE muis?'

Philip schudde zijn kop. 'Nee, hij was kort, kort, kort! En mager, mager, mager! Hij had een *grijs* pak aan ... of beter gezegd: *grijs-zwart!* Zijn hemd was opvallend ... ik geloof *geel* ... En op zijn das waren initialen geborduurd ... ja, *B.N.!*

Hij was behangen met juwelen: GOUDEN knopen op zijn jas en een knol van een diamanten ring om zijn vinger! Zelfs zijn schoenen GLOMMEN ... Trouwens, die pieper kauwde voortdurend op bonbons! Toen hij weg was lag er een hele berg lege BONBONPAPIERTJES op de vloer!'

Speurneus stond perplex. 'Alles klopt ... behalve één ding. Onze *foetelaar** is lang en dik, terwijl jouw knager kort en mager is ... Maar goed, hoe gaan we hem opsporen?'

'Ik heb hem richting de haven zien wegrijden. Zijn auto herken je uit duizenden, die is namelijk helemaal van GOUD.'

Voordat Fopman verder kon praten, waren we al onderweg ...

* **foetelaar** = *bedrieger*

B.N. ZORGT GOED VOOR ZICHZELF!

Voor de winkel stapten we op de **Banaan** (de motor van Speurneus) en scheurden we weg, op naar de haven.

We reden urenlang rondjes, maar uiteindelijk werd ons **GEDULD** beloond: we zagen

een gouden auto, zo lang als een bus … geen twijfel mogelijk!
De auto was van puur goud en werd beschenen door de zon; het was een en al blingbling!
Speurneus zette zijn zonnebril op en bromde: 'Bananen! Wat glimt dat ding! Daar krijg je gewoon oogontsteking van!'
De chauffeur, een knager zo GROOT als een deur, zo DIK als een olifant en zo gemeen als een PITBULL, stapte uit en liet het portier open staan.
Voor ik hem kon tegenhouden, brulde Speurneus: 'Ik heb een geniaal idee … ik ga de auto eens van dichtbij bekijken!'
Ik riep nog: 'Niet doen!'
Maar hij was al ingestapt en piepte: 'Alleen maar even kijken, ben zo terug!'
Zuchtend ging ik achter hem aan de auto in. De

auto was vanbinnen nog EXTRAVAGANTER dan vanbuiten. Het stuur was van **puur goud** met de initialen B.N. erin gegraveerd.
Achter de voorstoelen was een soort kamertje met een geel tapijt in de vorm van een B, en gele banken met dikke kussens van zwarte zijde, waar natuurlijk ook weer de initialen B.N. op geborduurd stonden!
Speurneus zag een dashboard vol knopjes en begon enthousiast te brullen: ‘Waar zouden deze knopjes voor zijn?’

Ik gilde: *‘Afblijven!’*
Maar hij had al op een knop gedrukt: met een zacht gezoem ging de kast open, met daarin … een televisie en een stereo (goed genoeg voor een discotheek).

Toen drukte Speurneus op een volgend knopje … en er verscheen een GOUDEN BADKUIP in de vorm van een B, een bubbelbad met gouden kranen!

Bij het volgende knopje verscheen er een BED, in de vorm van een B, met gele zijden lakens!

Weer een ander knopje opende een tweede kast, opnieuw in de vorm van een B, gevuld met zijden pakken, dassen en hoeden!

Er was zelfs een knopje voor een supergoedgevulde IJSKAST, natuurlijk in de vorm van een B!

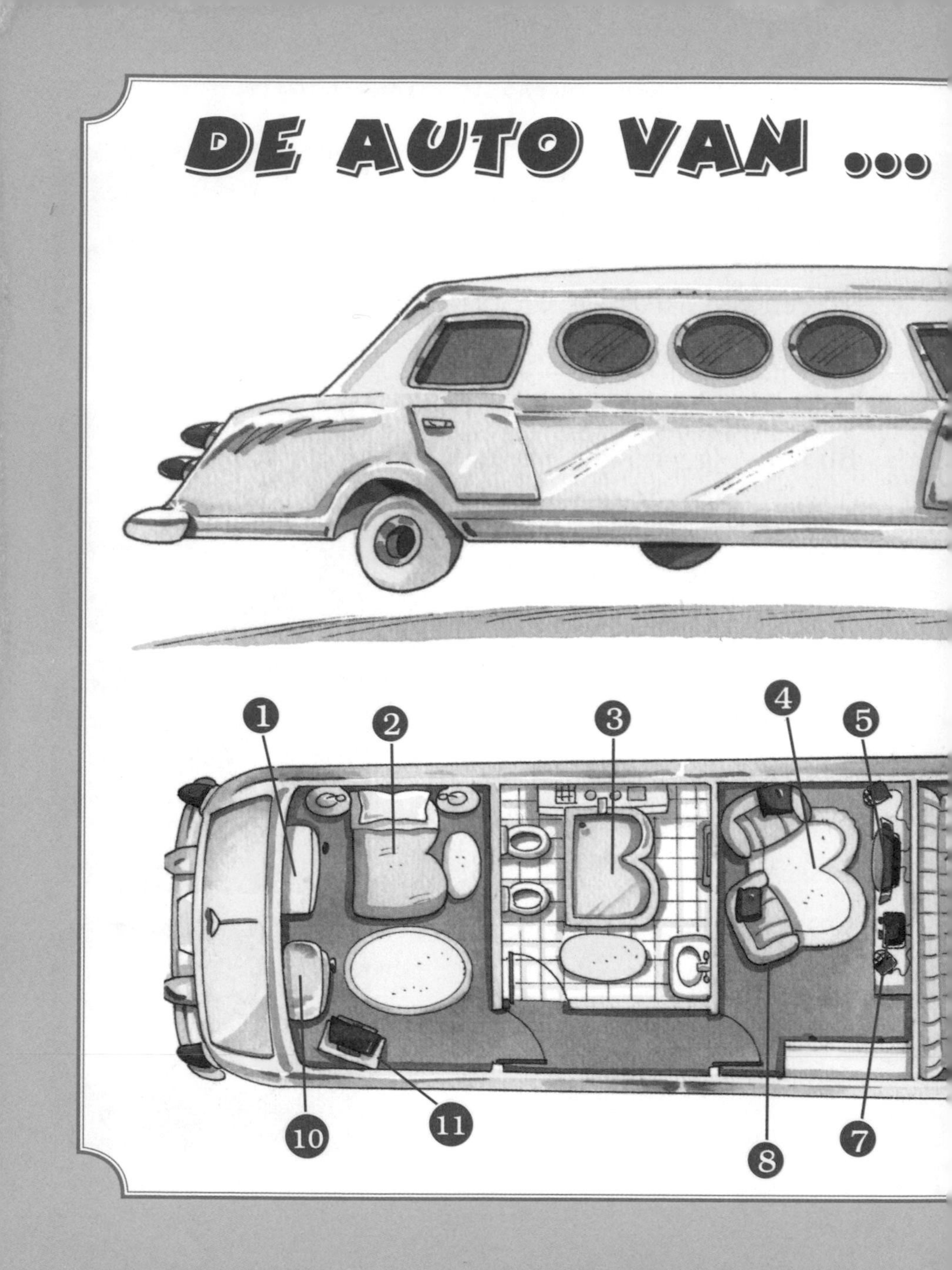
DE AUTO VAN ...
1
2
3
4
5
10
11
8
7

B.N.
BN
6
1 - Kast
2 - Bed
3 - Bubbelbad
4 - Tapijt
5 - Plasma TV
6 - Bestuurdersstoel
7 - Stereo
8 - Banken
9 - Televisie
10 - IJskast

Speurneus stak zijn snuit in de ijskast: 'Wow, kaasbonbons … MOUSSE van oude kaas … onze B.N. zorgt goed voor zichzelf!'
Op dat moment hoorde ik iemand aankomen.
Ik herkende de man, *eh muis,* die Philip ons had beschreven. Het was hem, het was … B.N.!
De chauffeur hield het portier voor hem open en hij kwam binnen. RATTENRAP doken we achterin.
Hij begon te bellen met een gouden telefoon.
'Hallo? Ik ben het … ik heb goed nieuws voor je, Nemo!'

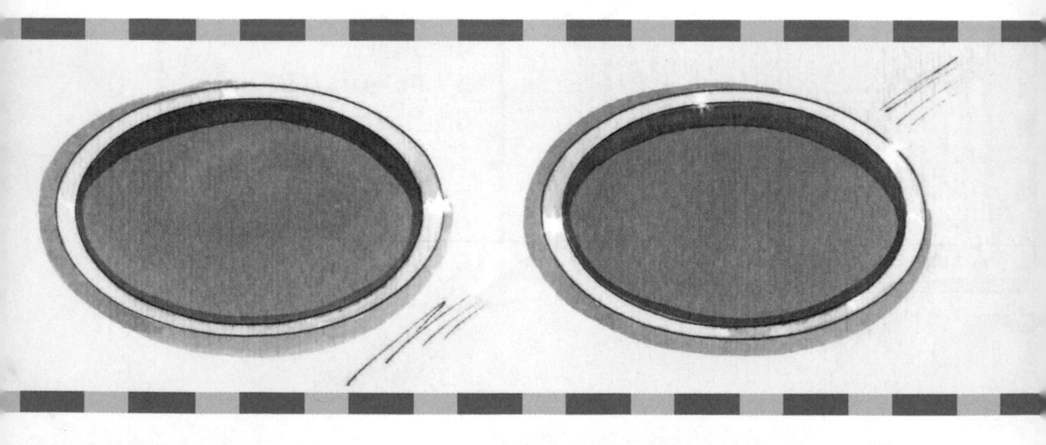

Toen ik die naam hoorde, gingen mijn nekharen **rechtovereind** staan. Die naam kende ik maar al te goed! Nemo was een **rioolrat,** die het liefst heel Rokford en heel Muizeneiland in zijn klauwen kreeg!
Ik was zeer geïnteresseerd in dat telefoontje, maar we waren inmiddels gaan rijden en kwamen nu weer tot stilstand. **B.N.** stapte uit, gevolgd door zijn chauffeur. Wij staken onze snuit naar buiten en raad eens waar we stonden? Vlak voor het *Grand Hotel van Rokford!*

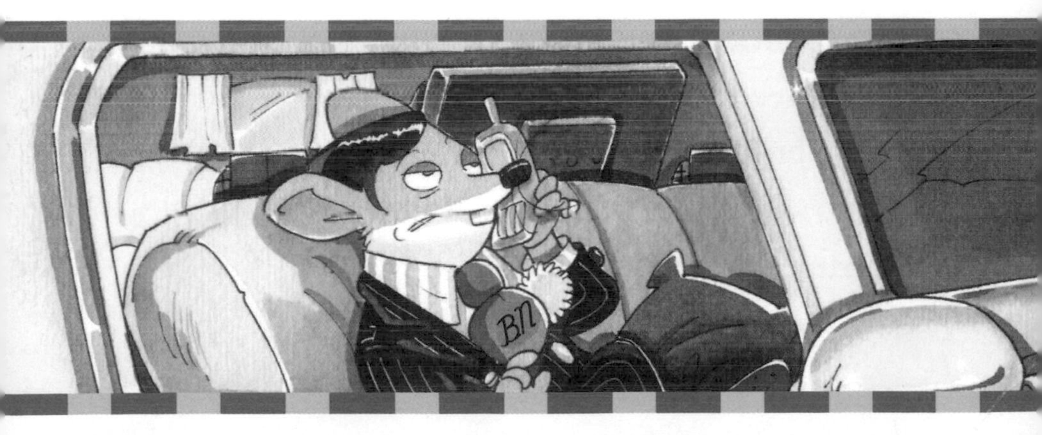

B.N. STAAT VOOR ... BISSIE NES!

De knager liep het hotel binnen alsof hij de eigenaar was. Ik kon hem nu goed bekijken. Hij droeg een grijs-zwart pak met gouden knopen, een zijden overhemd, GEEL-WIT gestreept en een opzichtige das met de initialen B.N. Aan zijn vinger prijkte een knol van een diamanten ring. Zijn **oranje** schoenen glommen in de zon.
Hij droeg een **ZWARTE** zonnebril en een hoed met een brede rand. Zijn snorharen dropen van de brillantine. Om hem heen hing een wolk van goedkope *aftershave*. Tussen zijn tanden stak een ivoren tandenstoker.

Richard
BN

Hij zei tegen Oswald: ‘En? Heb je besloten te verkopen?’

Ik deed een stap naar voren: ‘Mijn naam is Stilton, *Geronimo Stilton!* Wij kennen elkaar nog niet, maar ik wil iets zeggen: niet alles is te koop, soms is iets onbetaalbaar. Zoals liefde, vriendschap, vrijheid, **VREDE …** het allermooiste in het leven is niet te koop! En … onthoud dit goed: wat ook **niet te koop** is, is dit hotel, het *Grand Hotel van Rokford,* ons hotel!’

Hij kwam als een woeste stier op me afgestormd. Toen we *SNUIT AAN SNUIT* stonden, bromde hij: ‘Ik weet wel wie jij bent, jij

bent de uitgever van *De Wakkere Muis!* Waarom verkoop je die krant niet aan mij, dan loop je me niet meer voor de POTEN?!'

Ik keek hem strak in de ogen. 'Ook *De Wakkere Muis* is niet te koop!'

Hij dreigde: 'Hoor eens, uitgevertje van een ondermaats krantje! Ondergetekende koopt wat hij wil … ik zet het jullie betaald! Zowaar ik **Bissie Nes** heet!'

En weg was hij.

Op dat moment kwam Richard **aangehold.**

Hij zag bleek als roomkaas. 'Het spook … het komt eraan … maak dat je wegkomt … HELP!'

Een val … voor spoken!

Het spook **BRULDE:** *'Maaak daaat juuullie weeegkooomeeen, weeeg uit mijijijn huiuiuis!'*
Speurneus sprong naar voren en rukte de **helm** van het voorbij hollende **SPOOK** af.
Het was … juffrouw Bollie!
Meteen herinnerde ik me een paar aanwijzingen waardoor ik eigenlijk veel eerder **NATTIGHEID** had moeten voelen.
Opeens begreep ik het: juffrouw Bollie was …
Bollie Nes, de zus van **Bissie Nes!**
Ook al was zij lang en dik en hij kort en mager … ze had dezelfde dure smaak als **B.N. …** en ook zij had als initialen **B.N.!**

MAAK DAT JULLIE WEGKOMEN ...
MAAK DAT JULLIE WEGKOMEN ...
MAAK DAT JULLIE WEGKOMEN ...

MAAK DAT JULLIE WEGKOMEN ...
MAAK DAT JULLIE WEGKOMEN ...
MAAK DAT JULLIE WEGKOMEN ...

Bollie Nes

Wie is zij: een lange, dikke knagerin. Ze gaat altijd elegant gekleed en heeft een slimme blik op haar snuit.

Wat doet ze: ze is een goede boekhoudster en een goede manager.

Haar specialisaties? Alles … als ze maar kan commanderen!

Haar plan: om Nemo te helpen (samen met haar broer) heel Muizeneiland in bezit te krijgen. In ruil daarvoor mag zij presidente worden.

Haar geheim: ze is verliefd op … Nemo.

Haar droom: de machtigste knagerin van heel Rokford worden!

Haar zwakte: ze is erg hebberig. Vooral als het op geld aankomt, kan ze soms enorme fouten begaan (in haar eigen voordeel …)

Bissie Nes

Wie is hij: een korte, magere knager, die altijd elegant gekleed is en een slimme blik op zijn snuit heeft.

Wat doet hij: hij doet zaken in de haven van Rokford.

Wat voor zaken? Alles … als het maar geld opbrengt!

Zijn plan: om Nemo te helpen heel Muizeneiland in bezit te krijgen. In ruil daarvoor krijgt hij al het goud van de banken op het eiland.

Zijn geheim: hij kan toveren met speciale effecten.

Zijn droom: de rijkste knager van Rokford worden!

Zijn zwakte: hij is erg vraatzuchtig en gek op bonbons met kaasvulling!

BN

IK WIST HET WEL ...

Oswald riep: **'Goed zo!** Jullie zijn helden!'
'Dit is de echte held: *Stiltonnetje!'* riep Speurneus, waarbij hij per ongeluk met zijn vinger in mijn oog stak!

Ik brulde: *'Aiaiaiai!'*
Speurneus **RIEP:** 'O, o, o, heb ik je pijn gedaan? Sorry!'
Hij gaf een zwaai aan de draaideur, waar per ongeluk mijn staart tussen belandde ...

Ik brulde nog harder: *'Aiaiaiai!'*
Speurneus wilde er een blokje **IJS** op leggen, maar hij liet het per ongeluk vallen en ik ...
gleed erover uit!
Weer brulde ik: *'Aiaiaiai!* Ik heb mijn poot gebroken!'
Speurneus keek er met een ***kennersblik*** naar en zei: 'Je hebt niets gebroken! Geloof mij maar!'
Ik wilde hem net antwoorden toen de ambulance eraan kwam. De ambulancebroeder keek naar mijn poot en zei: 'Tja, die is gebroken!'

Ik zuchtte: 'Ik wist het wel ...'

PAS OP HET GIPS!

In het ZIEKENHUIS kreeg ik een gipspoot, daarna mocht ik weer naar huis.

Een dag later kwam SPEURNEUS met een schuldige blik op zijn snuit bij me langs.

'Stiltonnetje, **leef** je nog?'

Hij legde een tros bananen en BANANEN-CHOCOLAATJES op het tafeltje. Maar hij gleed uit en greep zich vast aan … mijn poot!

'Aiaiaiai!' brulde ik. 'Pas op het gips!'

Hij zei: **'Sorrysorrysorry,** *Stiltonnetje,* ik lette niet goed op!'

Hij legde mijn poot op een krukje en pakte een stift: 'Ik zal mijn poottekening erop zetten!'

Terwijl hij bukte om te tekenen, gleed hij uit en viel met zijn **snuit** op het gips.
'Aiaiaiai!' brulde ik. 'Pas toch op het gips!'
Hij stond weer op.
'Sorrysorrysorry, *Stiltonnetje!'*
Toen opende hij de doos met chocolaatjes en begon **lekker** te smullen.
'Mwaardwatiwslwekker!'*
Terwijl hij zich volpropte stootte hij tegen het tafeltje ... dat tegen mijn poot klapte.

***Mwaardwatiwslwekker =** *maar dat is lekker!*

'Aiaiaiai!' brulde ik. 'Pas op het gips!'
Speurneus krabbelde overeind.
'Sorrysorrysorry, *Stiltonnetje!'*
Op dat moment kwam mijn zus Thea binnen …
op haar **motor!**
Ze grinnikte: 'Broertjelief, dat was helemaal niet zo gemakkelijk om met mijn motor jouw huis binnen te komen, maar voor jou doe ik alles en nog meer … Tevreden?'
Met het **wiel** reed ze over mijn poot.
'Aiaiaiai!' brulde ik. 'Pas op het gips!'
Snel ging ik weer in mijn stoel zitten.

Juist toen ik dacht dat het niet **ERGER** kon worden, kwam mijn neef Klem binnen! Hij gaf een **speelse tik** tegen het gips: 'Zo, dus je hebt echt je **poot** gebroken, ik dacht dat je je aanstelde!'

En ook opa kwam langs om te controleren of mijn poot echt wel gebroken was.

'Aiaiaiai!' brulde ik. 'Pas op het gips!'

Op dat moment kwam ook Duifje Duistermuis binnen, met **KALONG**, haar huisvleermuis, die op mijn poot landde.

'Aiaiaiai!' brulde ik. 'Pas op het gips!'
Toen kwam ook Hyena nog eens binnen, die brulde: 'Ik breng je wel weer in vorm, ik laat je oefeningen doen, DAG en NACHT en ...'
Hij begon zich op te drukken, met één poot, maar verloor zijn evenwicht en rolde tegen mijn gipspoot aan.
'Aiaiaiai!' brulde ik. 'Pas op het gips!'
Pinky Punk, mijn assistente, kwam het huis in dansen op de muziek uit haar radio die loeihard SCHALDE: schalde: 'Baas, zullen we dansen?'

Ze trok me uit de stoel en liet me, met kruk en al, dansen … maar tijdens het dansen SCHOPTE ze tegen mijn poot.
'Aiaiaiai!' brulde ik. 'Pas op het gips!'
Uitgeput liet ik me weer in mijn stoel zakken.
Op dat moment kwam mijn neefje Benjamin binnenlopen. Hij riep: 'Ophouden allemaal, laat mijn oom Geronimo met rust!'
Ik was **ONTROERD**, ik omhelsde hem.

'Dankjewel, neefje, jij begrijpt het tenminste!'

WIE IS DE EREGAST?

Oswald Oostvlegel kwam binnenstappen. 'Beste Geronimo, nu we het spook hebben ontmaskerd, zal er vanavond een groot galafeest plaatsvinden in het *Grand Hotel*, een gemaskerd bal! En raad eens wie de eregast is?!?'

Ik antwoordde: 'Ik zou het niet weten ...'

Hij riep: 'Geronimo Stilton, wie anders?'

Ik stotterde: 'M-maar ik kan niet komen, mijn poot zit in het gips ...'

Speurneus riep: 'Ik heb een **geniaal idee!** Je gaat als mummie verkleed!' Opa Wervelwind, die het een goed plan vond, brieste vrolijk: 'Je hebt gelijk Speurneus! Dat is werkelijk een **geniaal idee!**'

Ik zuchtte: 'Naar mijn smaak *een beetje te geniaal* ...'

Speurneus rolde, rolde en rolde, allemaal rollen verband om me heen ... als een heuse **MUMMIE!**

En zo ging ik naar het bal!

De hele stad was uitgenodigd in de prachtige zalen van het *Grand Hotel* ...

Terwijl iedereen de *Mozzarellawals* walste,

liep ik naar het grote raam.
De daken van Rokford werden beschenen door de volle maan. Rokford, mijn geliefde Rokford …

Zoveel bekende silhouetten: HET STATION, HET THEATER, DE BIBLIOTHEEK, HET NATUURKUNDIG MUSEUM, maar ook DE KAASMARKT en HET PLEIN VAN DE ZINGENDE STEEN, *De Wakkere Muis*, en daar in de verte het vliegveld ...

IK BEN GEK OP MIJN STAD!

En zoals ik hou van mijn stad, hou ik ook van mijn medestadsknagers ... alle, alle, maar dan ook alle knagers die er wonen! Dit avontuur had me maar weer eens duidelijk gemaakt dat NIET alles te koop is.
En dat gold ook voor het *Grand Hotel van Rokford* ...

INHOUD

Geronimo Stilton

Serie:

1. Mijn naam is Stilton, Geronimo Stilton
2. Een noodkreet uit Transmuizanië
3. De piraten van de Zilveren Kattenklauw
4. Het geheimzinnige geschrift van Nostradamuis
5. Het mysterie van de gezonken schat
6. Het raadsel van de Kaaspiramide
7. Bungelend aan een staartje
8. De familie Duistermuis
9. Echte muizenliefde is als kaas…
10. Eén plus één is één teveel
11. De glimlach van Lisa
12. Knagers in het donkere woud
13. Kaas op wielen
14. Vlinders in je buik
15. Het is Kerstmis, Geronimo!
16. Het oog van Smaragd
17. Het spook van de metro
18. De voetbalkampioen
19. Het kasteel van markies Kattebas
20. Prettige vakantie, Stilton?!
21. Een koffer vol spelletjes
22. De geheimzinnige kaasdief
23. Een weekend met een gaatje
24. Halloween: lach of ik schiet
25. Griezelquiz op leven en dood
26. Gi-ga-geitenkaas, ik heb gewonnen!
27. Een muizenissige vakantie
28. Welkom op kasteel Vrekkenstein
29. De rimboe in met Patty Spring!
30. Vier knagers in het Wilde Westen
31. Geheime missie: Olympische Spelen
32. Het geheim van Kerstmis
33. De mysterieuze mummie
34. Ik ben geen supermuis!
35. Geheim agent Nul Nul K

36. Een diefstal om van te smullen
37. Red de witte walvis!
38. De indiaan met het gouden hart
39. Terug naar kasteel Vrekkenstein
40. De roof van de gi-ga-diamant
41. Oei, oei, ik zit in de knoei!
42. De ontdekking van de superparel
43. Wie heeft Schrokopje ontvoerd?
44. Dertien spoken voor Duifje Duistermuis
45. Het hollende harnas

1. De bende van Ratstad
2. De invasie van de megamonsters
3. De aanval van de krekelwroeters
4. Superhelden tegen de dubbelgangers

Thea Stilton

1. De Drakencode
2. De Thea Sisters op avontuur
3. De sprekende berg
4. De Thea Sisters in Parijs
5. De verborgen stad
6. Het ijzingwekkende geheim
7. Het mysterie van de zwarte pop
8. Schipbreuk in de ruimte

Stripboeken van Thea Stilton:

1. De orka van Walviseiland
2. De schat van het Vikingschip

Thea Stilton - Het leven op Topford:

1. Liefde in de schijnwerpers
2. Het geheime dagboek van Colette

JOE CARROT

1. Eén minuut voor middernacht
2. De Vuurpijl
3. De ongrijpbare Rode Klauw
4. Het Duistere Huis
5. Het rupsenraadsel

OSCAR TORTUGA

1. Losgeld voor Geronimo
2. Wie wint Geronimo? (Om op te eten...)
3. De schat van kapitein Kwelgeest
4. Blijf met je poten van mijn goud af!
5. Er valt niets te lachen, Stilton!

Ook verschenen:

* De avonturen van Odysseus
* De grote invasie van Rokford
* Fantasia
* Fantasia II - De speurtocht naar het geluk
* Fantasia III
* Fantasia IV - Het drakenei
* Fantasia V
* Geronimo's Sprookjesboek
* Het boekje over geluk
* Het boekje over vrede
* Het ware verhaal over Geronimo Stilton
* Knaag gezond, Geronimo!
* Knutselen met Geronimo & co
* Koken met Geronimo Stilton
* Reis door de tijd
* Reis door de tijd 2
* Reis door de tijd 3
* Schimmen in het Schedelslot
  (Of: Het geheim van dapper zijn)
* Tussen gaap en slaap

Klassiekers:
* De drie muisketiers (NL) / De drie musketiers (BE)
* De reis om de wereld in 80 dagen
* De roep van de wildernis
* Heidi
* Het jungleboek
* Het zwaard in de steen (NL) / Koning Arthur (BE)
* Onder moeders vleugels
* Robin Hood
* Schateiland (NL) / Schatteneiland (BE)
* Twintigduizend mijlen onder zee

Stripboeken Geronimo Stilton:
1. De ontdekking van Amerika
2. Het geheim van de Sfinx
3. Ontvoering in het Colosseum
4. Op pad met Marco Polo
5. Terug naar de ijstijd
6. Wie heeft de Mona Lisa gestolen?

De kronieken van Fantasia
1. Het Verloren Rijk
2. De Betoverde Poort

De prinsessen van Fantasia
1. De IJsprinses
2. De Koraalprinses

Overig:
* Geronimo Stilton - Dagboek
* Geronimo Stilton - T-shirt met chocoladegeur
* Geronimo Stilton - Verjaardagskalender
* Geronimo Stilton - Vriendenboek

Alle boeken zijn te koop bij de boekhandel of te bestellen via de website.

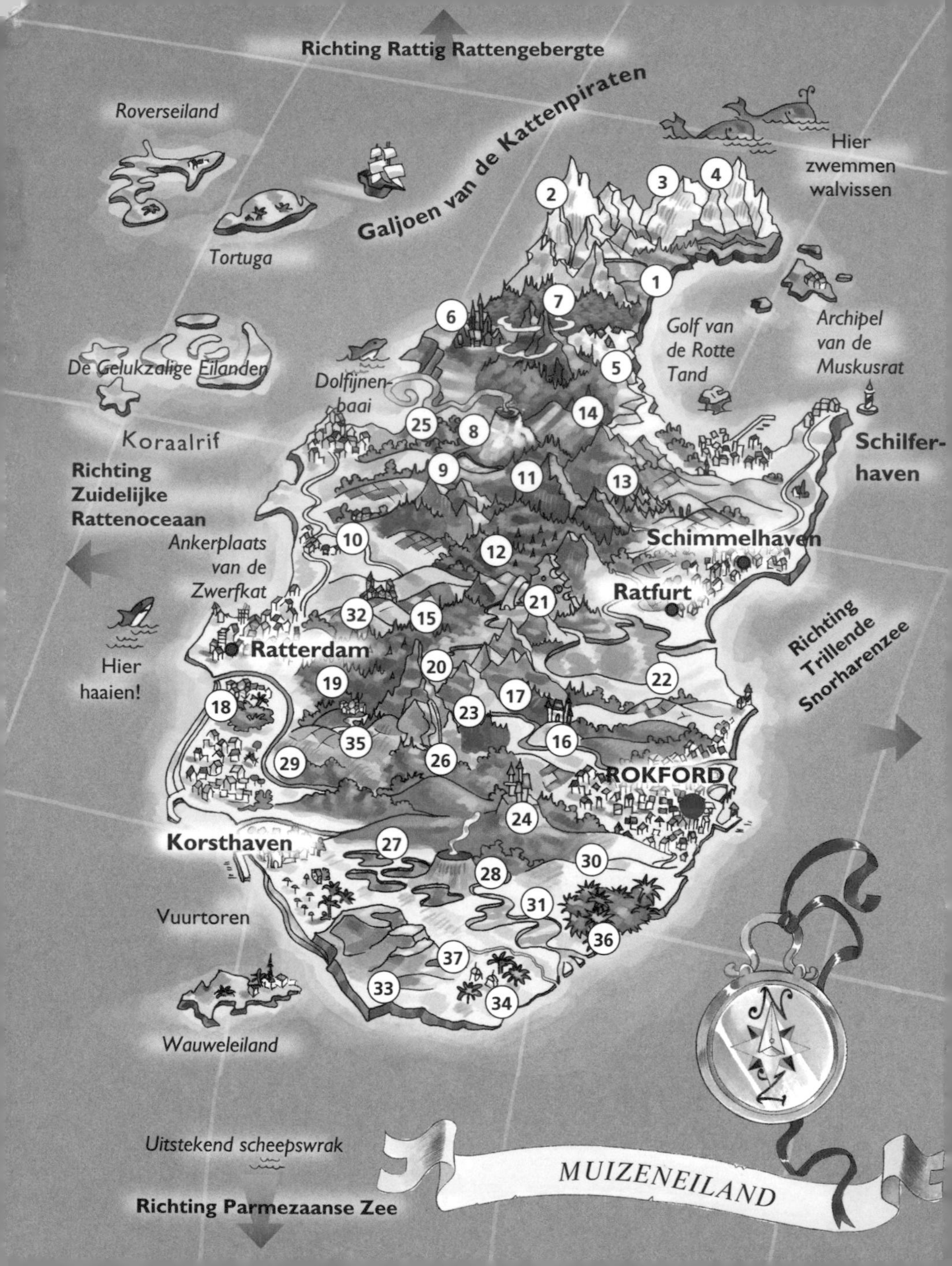

Richting Rattig Rattengebergte
Roverseiland
Galjoen van de Kattenpiraten
Tortuga
Hier zwemmen walvissen
Archipel van de Muskusrat
Golf van de Rotte Tand
De Gelukzalige Eilanden
Dolfijnenbaai
Koraalrif
Schilferhaven
Richting Zuidelijke Rattenoceaan
Ankerplaats van de Zwerfkat
Schimmelhaven
Ratfurt
Ratterdam
Hier haaien!
Richting Trillende Snorharenzee
ROKFORD
Korsthaven
Vuurtoren
Wauweleiland
Uitstekend scheepswrak
Richting Parmezaanse Zee
MUIZENEILAND
1
2
3
4
5
6
7
8
9
10
11
12
13
14
15
16
17
18
19
20
21
22
23
24
25
26
27
28
29
30
31
32
33
34
35
36
37
N
Z

Muizeneiland

1. Groot IJsmeer
2. Spits van de Bevroren Pels
3. Ikgeefjedegletsjerberg
4. Kouderkannietberg
5. Ratzikistan
6. Transmuizanië
7. Vampierberg
8. Muizifersvulkaan
9. Zwavelmeer
10. De Slome Katerpas
11. Stinkende Berg
12. Duisterwoud
13. Vallei der IJdele Vampiers
14. Bibberberg
15. De Schaduwpas
16. Vrekkenrots
17. Nationaal Park ter Bescherming der Natuur
18. Palma di Muisorca
19. Fossielenwoud
20. Meerdermeer
21. Mindermeer
22. Meerdermindermeer
23. Boterberg
24. Muisterslot
25. Vallei der Reuzensequoia's
26. Woelwatertje
27. Zwavelmoeras
28. Geiser
29. Rattenvallei
30. Rodentenvallei
31. Wespenpoel
32. Piepende Rots
33. Muisahara
34. Oase van de Spuwende Kameel
35. Hoogste punt
36. Zwarte Jungle
37. Muggenrivier

1
2
3
4
5
6
7
8
9
10
11
12
13
14
15
16
17
18
19
20
21
22
24
25
26
27
28
29
30
31
32
33
34
35
36
37
38
39
40
41
42
43
44
45
46
De Muis
Strand

Rokford, de hoofdstad van Muizeneiland

1. Industriegebied
2. Kaasfabriek
3. Vliegveld
4. Mediapark
5. Kaasmarkt
6. Vismarkt
7. Stadhuis
8. Kasteel van de Snobbertjes
9. De zeven heuvels
10. Station
11. Winkelcentrum
12. Bioscoop
13. Sportzaal
14. Concertgebouw
15. Plein van de Zingende Steen
16. Theater
17. Grand Hotel
18. Ziekenhuis
19. Botanische tuin
20. Bazar van de Manke Vlo
21. Parkeerterrein
22. Museum Moderne Kunst
23. Universiteitsbibliotheek
24. De Rioolrat
25. De Wakkere Muis
26. Woning van Klem
27. Modecentrum
28. Restaurant De Gouden Kaas
29. Centrum voor zee- en milieubescherming
30. Havenmeester
31. Stadion
32. Golfbaan
33. Zwembad
34. Tennisbaan
35. Pretpark
36. Woning van Geronimo
37. Antiquairswijk
38. Boekhandel
39. Havenloods
40. Woning van Thea
41. Haven
42. Vuurtoren
43. Vrijheidsmuis
44. Kantoor van Speurneus Teus
45. Woning van Patty Spring
46. Woning van opa Wervelwind

Lieve knaagdiervrienden,
tot ziens, in een volgend avontuur.
Een nieuw avontuur met snorharen,
erewoord van Stilton.

Geronimo Stilton